Premium

SLAM DUNK

슬램덩크 완전판 프리미엄

TAKEHIKO INOUE

14

● CONTENTS ●

SLAM
DUNK
슬램덩크 오리지널 프리미엄
TAKEHIKO INOUE
14

● CONTENTS ●

♯149 마지막 한 자리

네가 그렇게 긴장하면 어떡해?!

왠지 가슴이 뛰는 것 같아….

어디가 이길까…?

전혀 예측할 수 없어.

……………

우왓!

서

웅

태

서

태

웅

YOU ARE EVERYTHING!

뭐야, 쟤네들은?!

사인 사절!

사인은 안돼요!

사인 같은 것 필요 없어요.

만화가잖아!

아얏! 만화가다!

편집장이다.

비켜!

우왓!

어머!

!!

야아─
소연아!

무슨
짓이야
!!

이 녀석 때문에
5명이 탄 거나
미찬가지야.

응.
전혀─!

4명이나 타면
속도가 나지
않지?

시끄럿
─!

아얏!
너 도대체
뭘 넣는
거야?!

응?

구슬이다!

나이스─!

응원도구도
준비해 왔어.

동전을 넣으면
소리가 크게
날 거야.

빨리 가자. 늦으면 자리가 없을지도 몰라.

야, 너 구슬 어디다 쓰려고?

왜 쓸데없이 가져왔어!

왜? 그럼 안돼?!

이제 곧 시작하겠군요 ….

너희들은 강하다….

감독님, 뭔가 한 말씀….

제1시합
해남대부속 대
무림.

해남 응원석은
이미 잔칫집
분위기였다.

계속해서
제 2시합!

조금 전 시합은
98대 51로

해남대
부속고교가
승리했습니다!

능남고교
대

북산고교의…

勇猛果敢

능남중등학교 농구부

불꽃남자
정대만

시작하겠습니다.

그만둬…

SHOHOKU

시합을…

서 태 웅

서태웅 쇼쿠대 북산고빌부

어?
정말!

안선생님이
없잖아…?

안선생님이
쓰러지신 것
같다.

예
?!

안됐어!
정말…

과거 국가대표까지
지내셨던 안선생님이
벤치에 있는 것만으로도
북산 선수들에게 있어선
커다란 마음의 의지가
되었음에 틀림없다….

그만둬!
불길하게
그게 뭐냐!!

아무래도
선생님이
봐주시지
않으면….

정대만은 안영수.

문제없어.

송태섭은 백정태.

예.

태웅이는 윤대협이다.

수비는 언제나처럼 맨투맨이다.

난 당연히 변덕규….

오늘은 선생님이 안 계신다.

죽을 힘을 다해 싸우자….

난?!

난!

넌 저 녀석이다.

황태산…

파이팅,
치수야!
부탁한다!!

그
래.

········

SHOH
HIGH S
BASKE

다리 부상도
완치되지
않았을텐데
····.

불안요소가 많은
이번 시합은 그에게
있어 상당한
부담이 될 게 틀림없어.

안선생님이 없는
이 시합····.
채치수가 리더로서의
진가를 발휘해야만
할 때다.

아직 끝내고
싶지 않아····.

이 멤버와 함께
농구를 하고
싶다.

아주 조금만
더····.

송태섭.

7
번.

와! 와! 와! 와!

백호도 꽤 인기가….

대단해—!!

굉장한 녀석이긴 하지. 저 녀석!

하지만 실력은 없어!

쳇…. 맘에 안 들어.

백호야, 힘내!

백호야, 대단해.

이 천재의 등장에 어울리는 연출이 좀더 필요해.

사람들이 센스가 없어!

덩크하려다 백보드에 머리를 부딪친 게 엊그제 같은데…

그 연습시합 이래….

그래. 오늘은 얘기를 한마디도 못 걸었어.

오늘 태웅이가 무서울 정도로 집중하고 있어.

줄곧 마음속으로 타도 윤대협을 외치고 있었을 거야.

처음으로 패배를 맛보게 한, 쓰러뜨리지 않으면 안되는 상대니까.

대갼·오빠─!

불끈남자

14 번.

정대만.

4번.

이어서 흰색 유니폼의 능남고교.

모두 우리 능남이 탐냈던 인재다….

정대만, 송태섭… 그리고 서태웅.

변덕규가
능남에
오는 것이
결정된 뒤
전국대회
출전이
꿈만은 아니게
되었다.

지금부터 3년 전···

변덕규.

엄청
크다
ー!!

당시 녀석은
'빅 주니어'로
중학 농구계에
이름을 떨치고
있었다.

도내 최장신의
중학생이
능남에···.

저게
변덕규야?!

인간이
아냐!!

그 때부터 난
리쿠르트
(신입생 모집)에
열을 올리기
시작했다.

실패

MVP 정대만을 데려오면 엄청난 콤비가 될 것이다!!

변덕규가 3학년이 되는 해가 승부다!!

실패

키는 작지만 발군의 운동능력을 가진 송태섭이 적당하다.

다음해

변덕규와 함께 팀의 기둥이 될 PG (포인트 가드) 가 절대적으로 필요하다!!

너석이야말로 틀림없이 10년에 1명 나올까 말까 하는 천재!

또다시 다음해

신라중학의 서태웅!!

가까우니까.

어째서지?! 안선생님 때문인가?!

?

뭣이, 북산?!

실패

센터	포워드	포워드	슈팅가드	포인트가드
C	F	F	SG	PG
변덕규	윤대협	서태웅 (실패)	정대만 (실패)	송태섭 (실패)

구상대로 진행됐다면, 그야말로 두려운 팀이 되었을텐데….

지금의 팀으로도 예전에 구상했던 팀을 쳐부술 수가 있어!!

이제 그런 건 아무래도 좋다.

6번.

안영수.

팀의 사기를 북돋아주는 영수!!

가장 지기를 싫어하고

지금은 둘 다 능남에서 빠질 수 없는 존재로까지 성장했다…!!

그리고 백정태!!

송태섭 같은 화려함은 없지만 실수가 적고 농구를 잘 알고 있는 포인트가드다!!

7번.

윤대협.

윤대협!!

윤대협!!

윤대협!!

윤대협!!

응?

윤대협!!

변덕규보다도 응원의 소리가 더 높잖아!!

굉장한 응원이군!!

그렇지, 정환아?

정환이와 막상막하의 대결을 벌여 더욱 주가가 올랐을 거다.

막상막하 였나요…?!

훗!

여전하군…

엄청난 눈을 하고 있군. 저 냉정한 녀석이….

이거 조심하지 않으면….

……

13번.

황태산.

그리고 변덕규,
윤대협에 황태산까지
합세한
이 공격진은….

의심할
필요없는
도내
최강이다!!

아직
다 낫지를
않은
거야…!

치수
선배가
졌잖아?!

빌어
먹을!!

바스켓
인터페어!!

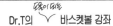

우와아앗
一!!

호오…

맨투맨인가?!

4번,
오케이!!

황태산, 네가
이 천재를
막을 수
있을까?

수비가 서툰
황태산이라도
아마 괜찮을
거야…

강백호의 리바운드는
조심을 해야 하지만,
득점력은 아직
'제로'에 가까워…

나 강백호에겐
윤대협이나
두목원숭이를
붙이는 게 좋을걸!

충고해
두는데….

훗….

뭐해?
백호야!!

뭐하는
거냐?
바보
녀석!!

뭐야,
전혀 변한 게
없잖아!
저 녀석!!

우왓!!

아
니
!!

·······!!

얼마전까지만
해도 전혀
들어가지
않았었는데
···?!

웃
!!

골
밑
슛
?!

계속 변해가는구나!

놀랍군...

이 천재를 프리로 놔두다니...

후후훗!

북산의
모든 득점을
이 강백호가…!!

아덕깨지는~!

이 천재를
네 상식으로
생각하지 않는 게
좋을걸!

왕별님이
많아대만!

엉…?!

덩크와
레이업밖에
할줄
몰랐는데…!!

아냐, 요전의
해남전때도
그랬어.

당황
하지 마,
두목
원숭이!

불과 며칠 사이에
몸에 익혔다는
건가…?!
말도 안돼!!

저게!
뚫린
입이라고….

자아,
확실히
수비들 해!
너희들!!

그래요.
준섭이형!
그런 말도
안되는…!!
저딴 녀석이
뭐가 두렵다
구!!

그래요!

아니….
그렇게
단순히는
말할 수
없지만….

우린 상당히
위험했을지도
…!

우리와 시합할 때
강백호에게
골밑슟이
있었더라면…

이번 대회를
치르면서 놀랄만큼
발전했어….

저 강백호….

우리들과 경기한
1회전과는 그야말로
다른 사람의
움직임이야…!!

훗,
저 녀석….

……

응…

어쨌든 저 원숭이를
골밑에서
프리로 놔두면
안되겠어.
부탁한다, 태산아!

죽도록 연습해
왔단 건가!

흥!
날 슛만 하는
남자라고
생각하지 마라.

자아,
수비다!!

웃
샤
!!

디-
펜스!!

디-
펜스!!

내일부터 한동안
목소리가
안 나와도
좋아요!

최종전
이니까요!

다…
당연하죠!

호오, 투지가
대단한걸.
1학년들!

와앗!
센터
대결이다!

그래야지
북산의
농구부원이지!!

그래!!
너희들 말이
맞아!

…………

!!

디ー펜스!!

디ー펜스!!

디ー펜스!!

디ー펜스!!

디ー펜스!!

리바운드
왕!!

!

우와아!!

응?!

강백호!!

벌써
달리고
있어!!

빠르다!!

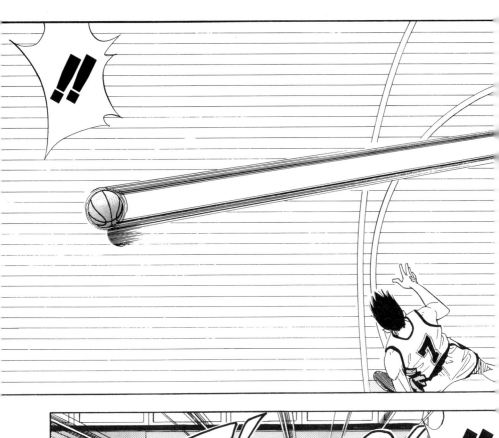

능남 볼!!

우와아아앗!

저런 말도 안되는 패스를!!

재룡군!

괜찮을까?!

모처럼의 좋은 찬스를!

그런 패스를 어떻게 잡아! 힘만 좋은 녀석!!

무림전에 나가지 못한 걸 한꺼번에 폭발시키는 듯한 느낌이야!!

백호 녀석, 힘이 남아도는 모양이야!

나한테 던지지 마요….

아직은
잘
모르겠지만
….

네가 인정할만한
상대인지도
모르겠다….

아이솔레이션···!!

!!

능남은 그렇게나
황태산의 공격력에
자신을 가지고
있는 건가···!

아이솔레이션이란

맨투맨 수비에 대항하는
전법으로 간단하게 말하면
공격 능력이 높은
플레이어가 충분한 공간을
확보할 수 있도록
남은 4명을 반대편
사이드에 위치시키고
1대 1로 공격시키는 전법.

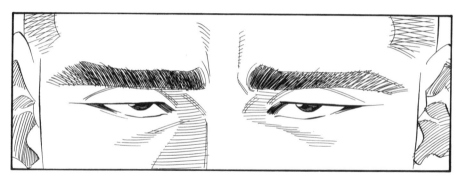

오펜스
차징!!

정대만!!

멋지다!!

크윽

정대만....

그렇게 간단히
길을 열어주면
안되지, 백호야!

나이스!! 대만이형!!

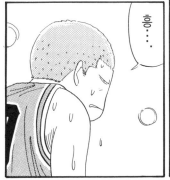

흥….

나이스, 정대만!

빠져나갈 것 같은데

완벽하게 뚫린 주제에 억지부리지 마라!

훗!

쓸데없는 짓을 하고 난리야….

뭐?

일부러였어.

이 강백호를
말뿐인
남자라고
생각지
마라,
정대만
….

제장….

잠깐!
기다려,
대만군!!

그래
그래.

……….

이봐,
너
안심하지
마….

뭐?

"안심하지
마세요"라고
말해….

내가 한 살이
많으니까
존대말을
써라!

그 녀석은
입만 살은
녀석이니까
무시해라!!

강백호의
도발에
말려들지
마라,
태산아!

뭔가
심상치
않아요.

왠지 태산이형과
백호형이 맞붙을
기세인데요.

뭐라고?
이 천재를
상대로
감히…!!

저 꼰대
할아범이!!

이 천재의
무서움을
잊었나!!

뭐
라
고
?!

오옷!
강백호가
잡았다!!

참자….
내가
참자…!

크윽
….

애늙은이와
꼰대
할아범이라…!

우
와
아!

꼰대
할아범
이래?!

제쳐주겠다!

승부해주지, 강백호….

황태산!

나이는 아래라도 실력은 내가 위다.

………

이것이
훼이크!

그
녀석은
널 뚫지 못해!

태산아,
그런 뻔한
속임수에
넘어가지 마!!

쓸데없는
흉내를
내다니….

태산이 녀석은
역시 수비가
안돼….

왠지
빠져나갈 것
같은데…!

천재란
99%의 재능과
1%의….

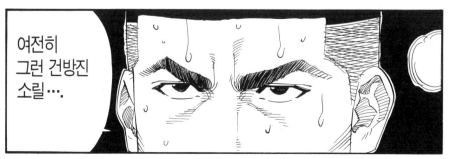

♯154 고릴라 이상

미안하군.

이 정도로 맥없이 나뒹굴 줄은 몰랐다.

…‥‥

저따위 도발에 넘어가지 마라. 치수야.

쳇…! 저 바보가 까불고 있어!

알고 있어.

프리스로ー!!

좋아, 좋아!

괜찮아! 하나만 넣자!

두 개 모두 실패했어!!

바스켓 카운트!!

원 프리스로!!

안 돼~!!

또
나의
승리다.

황태산은
보너스 원샷까지
성공시켜 지금까지
능남의 전득점을
올리는 활약을 보였다.

으윽....

채치수
×
변덕규

♯155 두목원숭이의 포효

이 발로…

턴할 수 있을까 …?!

보통때처럼 움직이면 부상이 악화되지 않을까?

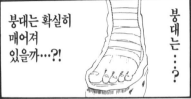

봉대는 확실히 매어져 있을까…?!

봉대는 …?

좋아,
덤벼라!!

힘내라,
치수야!!

승부!
승부해요!!

붕대가
느슨한
기분이
든다.

더 단단히
고정
시켰어야
했는데···.

안돼!!
공격이
되질 않아!!

변덕규!!

크윽····

왜
저러지···?

채치수····

나이스
디펜스!
덕규형!!

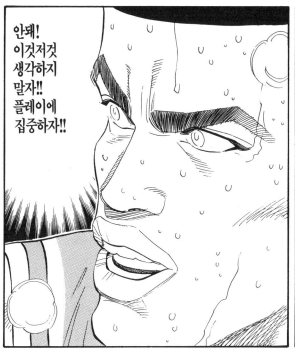

안돼!
이것저것
생각하지
말자!!
플레이에
집중하자!!

절대 못 쏜다!

앞으로
2초-!!

이 발로
변덕규를
이길 수 있을까?

아아···
30 초다!!

※ 30초룰!!

※30초룰: 공을 잡은 팀은 30초 이내에 슛하지 않으면 안된다.

어떻게 된 거야?
더 적극적으로
공격해!

변덕규
따위한테
져선
안되잖아!

・・・・・

그래,
물론이지!

덕규형!

・・・・・

좋아!

볼을
집중시킬게요.

바스켓 카운트!

우와아앗ー!!

와아, 변덕규가 울부짖고 있어!!

전국대회
진출이
멀지
않았다!!

변덕규
3연속
골이다!!

괴물 변덕규,
드디어
본실력 발휘!!

채치수는
어떻게
된 거야?!

역시
변덕규야!

잘난 척
하긴…
저
두목원숭이
가…!!

채치수답지
않아….

준호야!

이게 들어가면
타임아웃이다.

원 샷!!

뭐?!

치수 녀석, 뭔가 이상해.

아마 변덕규한테 밀려서 넘어졌을 때부터야.

잊어버린줄만 알았던 발의 부상에 신경쓰기 시작한 거지.

그 순간 발목 부상이 잠깐 머리를 스친 거야.

집중해서 시합에 임하고 있었는데

이젠 머릿속에서 떠나질 않는 거야.

※에어볼: 링에 스치지도 못한 슛을 말한다.

♯156 엉망진창 두 사람

으랏차!!

욱...
이
애송이
가!!

북산 골밑에서
그렇게
네멋대로는
안돼!!

순식간에
골밑까지
다가가는
스피드!

최고점에
도달하기
까지의
날렵함!

202cm의
덕규형에게
대항할 수 있는
점프력!

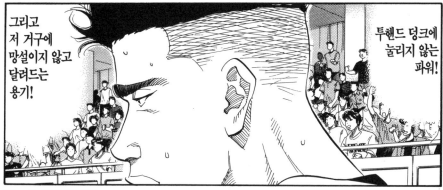

그리고
저 거구에
망설이지 않고
달려드는
용기!

투핸드 덩크에
눌리지 않는
파워!

예사롭지 않은
소질이야…!!

뭐하는 거야? 치수야!!

응?
북산 볼!!

빵
아깝다, 아까워!
잘했어!!

앗!!
다
아

이 시합에 전국대회 출전이 걸려 있다구!! 알고 있는 거야?
뭐하는 거야? 윤대협에게 그렇게 간단히 점수를 주면 어떡해!!

아앗!!

알고 있어!!
아

작전타임
북산!!

審

타임이다.

교체 선수가 있으면
벤치로 불러들여야
할 때이지만….

채치수답지
않은 플레이의
연속이다.

좋지
않아….

채치수 스스로 다시 일어날 수밖에 없어.

채치수를 대신할 선수는 없다.

무슨 소리야?!

준호야, 두 번밖에 없는 타임아웃을 이런 데서 쓰다니!

지금 그게 중요한 게 아니잖아요.

어쨌든 9점차는 좋지 않아요. 지금 쫓아가지 않으면….

안선생님 이셨더라도 역시 작전타임을 불렀을 거다!!

분명히 말해서 지금의 타임아웃은 절묘한 타이밍이다!!

뭣이?

뭐야?!

적당히 좀 해라!

너야말로 아무것도 못하는 주제에! 윤대협을 두려워 하는 거지? 이 여우같은 녀석!!

......

!!

고릴라가 안된다면 나, 강백호의 개인기로 승부하는 건 어때?

잠깐, 잠깐, 잠깐!

뭐?

흥...!

그만둬, 두 사람 모두! 지금은 시합중이야!!

......

......

송태섭, 정대만은 공백에서 벗어난지 얼마 안됐다.

서태웅, 강백호는 1학년.

북산은 젊은 팀이다.

될 수도 있다.

팀의 기둥인 채치수의 부진은 팀 전체에 영향을 미쳐 팀이 공중분해…

응?

!?

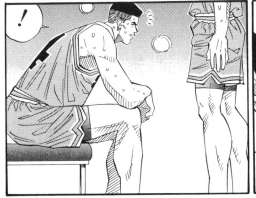

무슨
짓을?

아앗
?!

아니!

정신 좀
들었지,
고릴라?

무슨
짓이냐?
백호야!!

아…
아니….

무슨
말이야?

이 정도로
하지 않으면
안돼!

인간이
아니니까.

♯157 굴욕 2

오…. 뭔가 분위기가 바뀌었는걸….

응 …?

두근…

이 시합에 모든 게 걸려 있어. 부탁한다…!!

부탁한다. 부탁한다… 지금부터다!!

자! 가라, 북산!!

우선 점수차를 좁혀야 해!!

준호 선배…!

오늘 너의
플레이는
지금까지
중에서
최악이다,
채치수!!

이런 상태의
널
쓰러뜨려
봤자
자랑거리도
못돼.

내가
이기는 게
당연하니까!!

고릴라가 제대로
못해도 그 뒤에 더욱
무서운 사나이가
있다는 걸 잊지 마라.

앗!!!

흥…. 흥분하지 마라, 변덕규!

좀더 힘 좀 내서 덤벼보시지!

어떻게 된 거냐? 채치수!!

네 무대는 이제 끝났다.

부활했구나….

뭐
…?

그래, 굴욕적 이야.

저건 엄청난 굴욕 이야….

백호는 괜찮을까? 아직 못 일어나고 있잖아….

옛날이래 봤자 그렇게 옛날도 아냐.

옛날의 백호라면 그 자리에서 박살냈을 거야.

아무리 농구시합에서의 플레이라고 해도….

큰 맘 먹고 덩크하려고 했는데 저렇게 튕겨나갔으니….

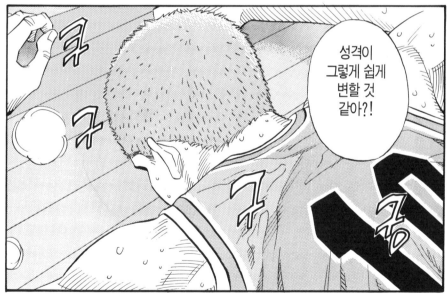

성격이 그렇게 쉽게 변할 것 같아?!

두목원숭이, 도망가라….

어?

♯158 불길한 예감

뭔가 큰일이 터질 것 같은….

불길한 예감이 드는군….

말도 안돼…. 백호가 난투를?!

앗!

역시 난투라니, 말도 안….

하지만….

백호야….

!

안경 선배!!

긴급사태
예요,
안경
선배!!

!?

백호가
폭발해요
!!

뭐?!

뭐
?!

뭐?
지금
시합중
인데?!

안경 선배!
이 틈에
백호랑
교체해요!!

머리를
심하게
다친 것
같아요!

일시적인
유아퇴행
현상일지도….

아앗!

응?

부상을 입지 않았다면 10번이 프리스로를 쏜 후에 교체를 해야 하네.

!!

10번과 교체합니다.

안돼!

와앗~ 선수 교체다!

교체입니다!!

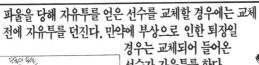

파울을 당해 자유투를 얻은 선수를 교체할 경우에는 교체 전에 자유투를 던진다. 만약에 부상으로 인한 퇴장일 경우는 교체되어 들어온 선수가 자유투를 한다.

Dr. T의 바스켓볼 강좌

내가 쏠 거야.

그렇구나! 백호가 해야 하는구나….

강백호!!

후훗! 그 정도로 뻗을 녀석이 아니지.

그렇게 심하게 부딪쳐 떨어졌는데!!

아니! 멀쩡하잖아!!

괴물이다!!

이 아이언 보디 (강철 몸) 강백호에겐 그 정도야…!!

백호야, 괜찮아?! 거꾸로 떨어졌는데….

아무렇지도 않은 것 같은데.

보기 흉한 잡담이 너무 많다.

최종전이니까 양팀 모두 페어플레이 하도록!!

뭐야?!

야, 두목원숭이! 네가 이 천재를 맨손으로 쓰러뜨리는 건 무리야!

뭣이!

이봐, 10번. 머리는 정말 이상없나?

도구도 사용할 줄 모를테고…

예!!

예!!

좋아! 그럼 부탁한다. 백호야!!

역시?

고릴라 덩크Ⅱ(투) 아까웠다.

멋진 플레이였어.

꼭 이기자, 백호야!

프리스로!

난
3학년이라…
이번이
마지막이야.

만약
전국대회에
나갈 수
없다면….

모레
능남전이
마지막이야.

뭐냐,
저건?!

재미있다!

별
희한한 놈
다 보네!!

몰랐어?
저 녀석은
저렇게
쏘는걸!

아래서?!

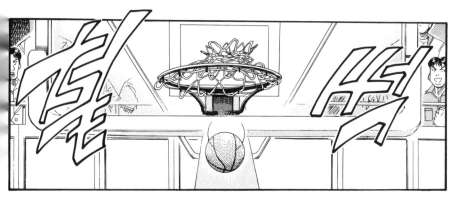

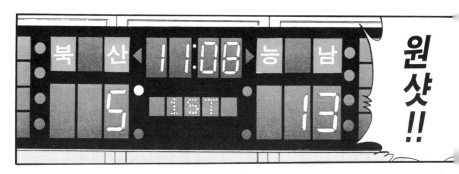

원샷!!

어쨌든 백호가
원상복귀
된 것 같다.

힘들었어!

백호도
이제 훌륭한
바스켓맨인걸.

걱정
마!

난투 같은 걸
벌일 생각은
없었을 거야.

뭐…
그렇지.

백호는 그렇게
하고도 남아….
소연인 너무
관대해.

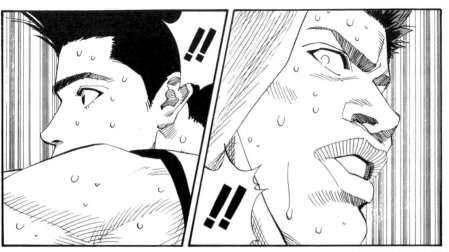

나왔다,
파리채
블로킹!

음···

굉장한걸!

드디어
채치수
실력발휘다!!

작전
타임!!

지금부터
시작이야!

할 수
있어!!

6점차다!!

좋아, 아주
잘했어!!

능남을 쓰러뜨리면 전국대회에 나갈 수 있다!!

후우ーー!

침착해라….

침착해야 해….

어서 손을 써두는 게 정답이다.

역시….

채치수가 잘해주면 북산은 가속이 붙어….

교체...?!

황태산!

교체는
싫다….

어떠냐,
채치수의
블로킹은…?

……
……

아직은
네가
이길 수 있는
상대가 아냐.

채치수의
골밑 디펜스는
고교
톱레벨이다.

예.

!?

예.

덕규야!

채치수를
밀어내서
태산이를
도와줘라.

블로킹 당했다고 기죽지 마라. 태산아.

북산이 맨투맨으로 수비하는 한 태산이를 중심으로 득점을 해간다!

예.

대만아...

응?

안영수의
수비 말야.

너에 대한
수비.

안영수는
어떠냐?

응?

후훗.

별 것
아냐!

좋았어
!

우리나라는
미국과는 달리
도시 한복판에서
농구 골대 같은 건
보기 힘들다….

농구를
하고 싶은
고교생에게는
만약 학교에서
할 수 없다면,
하고 싶어도
할 수
없는 것이
현실이다.

감히
어딜!

앗!

농구에 대한 굶주림,
링을 통과하는
공이 내는 소리에
대한 굶주림,
농구 코트에 대한
굶주림….

부활동
금지 처분을
받은 황태산은
굶주려 있다.

황·태·산!

황·태·산!

猛果敢

능남고등학교 농구부

더욱
환호해라.

야, 백호야!
너 느끼고
있나?

응?

나이스!!
태산이형,
최고예요!!

유선배
....

역시....
윤대협과
변덕규가
있는데도 끝까지
황태산으로
공격하는군....

'네 수비는 분명히 말하지만 원숭이야!!'

뭐야?

녀석의 마크는 너잖아.

·······

?

능남은 황태산에게 볼을 집중하고 있어.

네 수비는…!

녀석들에게 그렇게 생각되어지고 있단 말이야.

!!

#160 경험

보통 맨투맨으로 수비할 때 어떻게 하지? 전호장!

예…?

제 경우는 그렇습니다.

그리고 전호장 특유의 동물적 육감으로 상대의 움직임을 읽는다!

우선 자세를 낮추고….

경험 이다!

그것은 동물적 육감 이고 뭐고가 아냐.

보통, 디펜스라는 것은 상대의 움직임을 예측하는 것이다.

예?!

경험으로 어느 정도의 예측을 한 후, 그것에 대응하는 것이 디펜스다.

또 그러기 위한 움직임도 경험에 의해 몸에 익혀지는 거지.

디펜스!!

디펜스!!

볼을 가진 상대가

패스를 할지, 드리블로 뚫고 나올지,

드리블은 오른쪽일지, 왼쪽일지,

훼이크를 할 것인지,

아니면 그대로 숏을 쏠지….

탁

훗

강백호에겐 아직 그 경험이 절대적으로 부족해.

그래서 예측할 수가 없는 거다.

가라, 태산아!!

……

그 자리에서 슛하면 블로킹 할 수 있는 힘이 있지만 옆으로 빠져 버리면 대응하지 못한다는 말이겠지?

그래.

무슨 말이야?

음…
강백호는 세로 공격은 막을 수 있지만 가로 공격은 수비가 안되는군.

난 강백호라는 녀석을 인정하고 있지만…

능남은 분명히 황태산에게 볼을 집중하고 있었다.

그 중 13번 황태산의 득점이 13점을 차지했다.

전반 5분을 남기고 능남은 21점.

싸움을 할 땐 상대에게 하나라도 구멍이 있으면 그곳을 철저하게 공격하는 것이 정석이다.

그건 특별히 농구에 한해서 그런 것이 아니다.

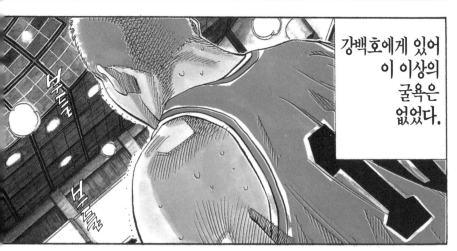

강백호에게 있어 이 이상의 굴욕은 없었다.

시끄러워, 이것들아!

능남의 에이스다!

황태산!!

으아아아아

나이스, 황태산!!

ㅈ
녀석들C
와 있었ㄴ
...

그곳에는
하늘밖에
없었다….

링이
있는 곳을
가르쳐 줄까?

조금 멀긴
하지만….

우리들
가끔 여기서
하거든.

앗!

!!

자세를 낮춰!!

놓치지 마라, 황태산!!

나이스 디펜스, 태산이형!!

이긴다ㅡ!!!

으…

!

태산아…!!

지금 태산이가… 외친 거냐…?

14 SLAM DUNK (完)

슬램덩크 완전판 프리미엄 14

2007년 9월 23일 1판 1쇄 발행   2023년 2월 14일 2판 3쇄 발행

•

저자 ······ TAKEHIKO INOUE

•

발행인 : 황민호
콘텐츠1사업본부장 : 이봉석
책임편집 : 김정택/장숙희
발행처 : 대원씨아이(주)

•

서울특별시 용산구 한강대로 15길 9-12
전화 : 2071-2000 FAX : 797-1023
1992년 5월 11일 등록 제 1992-000026호

•

©1990-2022 by Takehiko Inoue and I.T.Planning, Inc.

•

ISBN 979-11-6944-809-3 07830
ISBN 979-11-6944-793-5 (세트)